徐武軍　徐元純　輯

徐復觀教授看世界——時論文摘

四之一卷　自敘　讀書和研究的方法與態度　智識份子　教育

臺灣學生書局印行

序

徐復觀先生是著名的思想家與思想史家，現當代新儒家之重鎮。徐先生一生在學術與政治之間，「以傳統主義衛道，以自由主義論政」。他是風骨嶙峋的勇者型的人物，時常批評政治，在政治上主張民主、自由、人權，有道德勇氣。他肯定中國知識份子的使命感、入世關懷、政治參與和不絕如縷的犧牲精神。他身上體現了人文知識份子以價值理念批評、指導、提升社會政治的實踐品格。在文化上，他是中華民族文化根基的執著守護者，曾誓言「要爲中國文化當披麻戴孝的最後的孝子」。

一九四九年以後，唐君毅、牟宗三、徐復觀三先生客居香港、臺灣，共同弘揚中國傳統文化精神。與唐、牟兩先生不同的是：徐先生不是從哲學的路子出發的；對傳統與現實的負面，特別是專制主義政治有很多批判；有庶民情結。徐先生是集學者與社會批評家于一身的人物，是文化守成主義陣營中最具有現實批判精神、最易於與自由主義思潮相頡頏又相呼應的代表人物。

徐先生寫了三十多部專著、文集，發表過近百篇學術論文和數百篇時論、雜文。徐先生學術的代表作是三大卷的《兩漢思想史》，以及《中國人性論史》（先秦篇）、《中國藝術精神》、《中國經學史的基礎》、《中國思想史論集》及其續編等。作為思想史家的徐復觀，對中國思想史的總體，特別是對先秦兩漢思想史、中國藝術史下了極大的功夫，有精到的研究。

作為「學術與政治之間」的人物，他的政論雜文聞名於世，不僅數量豐富，且其文風雄健，眼光獨到，極具批判鋒芒，可謂鞭辟入裏，在中國現當代思想史上影響甚巨。他特別表現了儒家的抗議精神，他所留下的大量的「學術與政治之間」的時評，與思想史著作相得益彰，頗能表現他的風骨和他的學術的特點。他是從人的具體生命與生活的體驗出發，來做學術研究的，他的學術與人民的生活有密切的關聯。

徐復觀先生的哲嗣、長公子徐武軍教授等主編、整理了《徐復觀全集》，於二〇一四年由九州出版社刊行。近年來，武軍教授與女兒元純小姐從復觀先生三百餘萬字的「時論」中，摘、輯了六百餘則的文句，內容涵蓋了徐復觀先生要傳送給社會的訊息，和他對社會的觀察、批判及建議，編成本書。編者的初心，是期望能比較全面的、完整的呈現出徐復觀教授人生中廣接地氣的一面。

編者很有眼光，費心選編了本書，內容包含了自敘、讀書和研究的方法與態度、智識份子、教育、文化、藝術、文學、政治、軍事等方方面面，並附錄了兩文以便讀者瞭解復觀先生的人生經歷與生命精神。

近來拜讀了編者擇取的徐先生的精粹文句，深受教益。尤其是徐先生有關如何理解傳統與現代、東方與西方、中國文化、民主政治的論述，我覺得是非常深刻的，對今天的我們仍然啓發良多。

徐先生說：「我的根本動機和努力的方向，都在中國文化的再認識，想由此以確定中國文化的內容、意義、地位，以幫助中國人在精神上能站起來。」

「中國文化對今後人類之有無價值，不關於其與西方文化之有無相合，而關於其曾否提出在西方文化中所未曾提出之問題、方法與結論。」

他又說：「一個人讀了書而腦筋裡沒有問題，這是書還沒有讀進去，所以只有落下心來再細細的讀。讀後腦筋裡有了問題，這便是叩開了讀書的門，所以自然會趕忙的繼續努力。」

不僅在文化問題上，不僅對於我們的讀書與思考，細讀本書，我們會在很多方面獲益匪淺！我覺得這裡有振聾發聵的聲音，當頭棒喝，醍醐灌頂！我竭力向讀者推薦本書，特別希望青年學子都來讀這本書，不爲別的，只爲昇華各位自己的精神生命！

是爲序。

郭齊勇　戊戌年春節于武漢大學

編者序

我們從徐復觀教授（一九〇三－一九八二）三百餘萬字的「時論」中，摘、輯了六百餘則的文句，內容涵蓋了徐復觀教授要傳送給社會的訊息，和他對社會的觀察、批判及建議，編成本書。我們的初心，是期望能比較全面的、完整的呈顯出徐復觀教授人生中廣接地氣的一面。

《論語》記錄了孔子教學生要如何修身、告訴君主該如何治國，完整的規劃出：個人的行爲、人與人之間的關係，以及治國的方向和原則。

徐復觀教授是二十世紀新儒家中唯一奉《論語》爲最高經典的學者。如果在二十一世紀閱讀徐復觀教授撰寫於一九四九年至一九八二年間的「時論」，依然能感受到時代和社會的脈動，那就基本上正面回答了「儒家學說是否能引導中國向上提升和向前邁進」這個問題。

我們相信這是徐復觀教授希望能看到的。

感謝：郭齊勇教授撰序；陳樹衡先生題封面；不具名的學者和王晨光博士詳細的審閱文稿，對書的結構內容安排提出看法和建議。

徐武軍　徐元純　敬誌，二〇一八年春

徐復觀教授看世界 時論文摘

總目次

四之二卷

四之三卷

四之四卷

壹、自敘

自敘之一

『我要把中國文化中原有的民主精神重新顯豁疏導出來。這是「為往聖繼絕學」。使這部分精神來支持民主政治。這是「為萬世開太平」。政治不民主，則無太平可言。』

——一九八〇／八／十七，〈擎起這把香火〉，《中國時報》

自敘之二

『楚人任俠敢任，而嘗有守孤抱以輕天下之情，故歷史上秉大義以發天下之大難者多為楚人。發大難而不計其功，有其功而亦不以此自拘自滯，自矜自持者，亦多為楚人。蓋楚人有性情之真，而少功名之念，此楚人之所以失，亦楚人之所以得。』

——一九五一／十一／二十五，〈辛亥革命精神之墜失〉，《中央日報》

自敘之三

『我原來也是反對中國文化的。在重慶時代認識熊十力先生，聽了他的話，我才不反對中國文化，但我並不相信。我並不是不好學的人，我常常看東西，常看日本的、西方的東西，我不反對它們，也不恭維它們。

『到了臺灣以後，我常常想，國民黨那些對那些不對？最根本的就是人發生了問題。

『我發現西方也追求一個新的東西，發覺他們的文化也在人的方面發生了問題，在人的價值上發生了問題。他們追求，追求到邊緣就停止了，再也追求不下去了。他們追求的，實際上就是中國文化，就是儒家之教。

『這樣一來，我才相信了儒家文化。』

——一九八一／五，〈徐復觀談中共政局〉，《七十年代》一三六期

自敘之四

『中國文化對今後人類之有無價值，不關於其與西方文化之有無相合，而關於其曾否提出在西方文化中所未曾提出之問題、方法與結論。故觀此時所能致力者，在說明中國文化之真相，究竟如何？

『多年體驗，沉潛於原典資料之功夫愈深，即愈感耿耿孤明，一無依傍。故拙著豈特為違反中國文化者所不諒，恐亦將難為平生敬畏之師有所諒。如熊十力之學問出自《易傳》，而觀對易傳之評價，即全與熊師不同，且不重視陰陽之形上架構。

『然意在為來學開闢治學途徑，以拓清百十年來所積之荊榛，又安敢苟且沉浮於一時之毀譽乎？』

——一九六三／七／一，〈希臘哲學以道德抑以智識為主的探討〉，《民主中國》復刊六卷七期

自敘之五

『我不是弄哲學的，根本無意形成自己的哲學系統。我的根本動機和努力的方向，都在中國文化的再認識，想由此以確定中國文化的內容、意義、地位，以幫助中國人在精神上能站起來。但我開始做學問的時間太遲，在這方面的收穫太小。我只想在各重要部門開闢一條路出來，讓後來的人繼續走下去。但因為在學術上沒有地位，不可能一下子發生影響。眼看著臺灣和大陸的許多人，還自甘封閉在渾沌之中，此乃無可奈何之事。』

——一九七八／三／二十三，〈致王敬獻的信〉

自敘之六

『作為一個中國的人文主義者，不可能不關心到文學藝術面的問題。而以「人性論」為基點，把中國的哲學思想和文學藝術思想連結起來，這正是我的責任和目前所作的試探。』

——一九六四／三／二十四，〈漫談國產影片〉，《徵信新聞報》

自敘之七

『我三十年來為中國文化所作的抗辯，是源自國民政府重慶、南京時代的反省，及以五十年代六十年代的臺灣文化界為對象而展開的。抗辯的目的，只在未被叔孫通子孫們所扭曲的中國文化，能在中國文化的整體生活中，取得堂堂正正的一席之地。』

——一九八一／九／一，〈中國文化中人間像的探求〉，《百姓半月刊》七期

自敘之八

『從民元發蒙時候起，到民國十五年革命軍到武漢為止，主要是讀線裝書。從民國十五年以後，到二十九年止，我唾棄了線裝書，追求「科學地社會主義」。從三十二年遇見熊十力先生起，我知道過去雖然讀了許多線裝書，但可以說，並不曾真正讀懂一句，因而不敢隨便唾棄線裝書。但依然是想在日譯的西方典籍中求得一點什麼。』

——一九六八／一，〈西方文化沒有陰影〉，《大學雜誌》十三期

自敘之九

『生命力的發揮和蘊藏，最重要的因素是求知識。春秋時代的閔子騫有兩句名言是「夫學，殖也。不學將落。」殖是生長，落是凋落。學則生命猶如生物之生長；不學則生命將如生物的凋落。

『我於民國四十一年，由臺中坐火車往臺北，手上拿著一本《二程遺書》在看。忽然看到程伊川「不學則老而衰」的一句話，當時心情非常感動，回來把這句話寫好貼在壁上。十年來雖在學問上沒有成就，但雖病而仍不老不衰，我覺得這是伊川這句話所給我的最大啓發和效驗。』

——一九六三／十二，〈社會將如何返老還童〉，《自由談》十五卷一期

自敘之十

『我從來不反對社會主義，但我心目中的社會主義，是從我們廣大人民生活實踐中聚結出來，永遠以實質地平等，與廣大人民生活結合在一起的社會主義。』

——一九七九／十一／十四，〈神座觀念的災禍〉，《華僑日報》

自敘之十一

『我在教會學校裡教了十四年書，體認到文化侵略與精神佔領的嚴酷性，是如此的巧妙，是如此的深刻，是如此的毒辣。』

——一九七二／五／二、三，〈再論古為今用〉，《華僑日報》

自敘之十二

『我的雜文，包括的範圍相當廣泛；許多是由各方面，各種程度的感發才寫了出來的。但以受到毛澤東文化大革命及其遺毒的震盪為最大。這一震盪，直接間接，波及到我精神活動的各方面。震盪是發自良知所不容自己；在震盪中堅守國族的立場、維護國族的利益、不知不覺地與大陸人民共其呼吸，同樣也是來自良知的不容自己。』

『世界不是為人而存在，所以人不是世界的中心。但因為有了人，世界才被人所認知、才被人不斷發現這樣的一個世界。因此，人依然是世界一切問題的起點。不過，在兩千多年前莊子卻強調了「真人」的觀念；在這一觀念的後面，意指著芸芸眾生，能算得真正是人的很少。我的雜文中，正如楊乃藩先生為我所做的標題一樣，有的是屬於所我所思憶的。假定在這樣文章中，保有幾許真人的意味，我便應感到滿足。』

——一九八〇／二，〈雜文自序〉，《徐復觀雜文》，時報出版公司（台北）

自敘之十三

『我寫這類的文章（註：評論性），不是為了發揮自己的政治思想。而只是面對九億人民的災難，尤其是面對七億農民的災難，如何才能使他們稍稍舒一口氣。

『蘇聯遭史達林毒手的人們都沒有留下生命，中共卻留下了鄧小平；這便使中共有由大反省而來的修改自己錯誤的可能性。

『對一個餓得要死的親人，有人給他一碗麵湯，我知道這是不夠的。但自己腦筋裡的許多營養品，對於這位親人，毫無用處，則我心理上對這碗麵湯，和這位親人生理上對這碗麵湯，可能有相同的感覺。

『自己酒醉飯飽之餘，站在遠遠的喊著，「那碗麵湯不值得喝，應當忍住等我把腦筋裡的東西來祭奠你的白骨呀！」這也和另一種喊聲說，「那碗麵湯是長生不死之藥，你喝了趕快爬著喊華主席萬歲呀！」同樣不是受有儒家思想教養的人所能接受的。』

——一九七九／三／六，〈保持這顆「不容自己之心」〉，《華僑日報》

自敘之十四

『在大陸上，沒有其它的力量可以代替共產黨。所以我們想辦法，是要在共產黨的架子下來想辦法，來轉化她。

『我覺得海外的知識份子，離開個人的利害關係，為國家真正地講講話。

『總的來說是希望共產黨變。這個變，不是一下子變到我們理想上的要求，那當然困難。

『我認為他們要放棄無產階級專政的觀念，要放棄毛澤東思想。

『任何思想主義，都要由國家現實的利益、人民現實的要求來加以抉擇。國家人民的地位，乃在任何思想主義的上面、在信仰任何思想主義的人們的上面，在任何統治者的上面。共產黨只是聽人民的話、為人民服務的，不是什麼先知先覺的前衛隊。

『否則的話，黨高於國家、黨員高於人民，怎能有民主法治？

『我們也不必害怕他們的勢力，應該不客氣地批評他們。

『我們為什麼要幫助共產黨，只是國家、人民的命運在他們手上，幫助他們是為幫助自己的國家人民而已。』

——一九七九／十／一，〈三十年來家國座談會〉，《中國人月刊》一卷九期

自敘之十五

『抗戰末期，我以純偶然的機會，得到故奉化蔣公某種意味的知遇，當時我認為要救中國應先救國民黨，於是不自揣量，激起一番想通過蔣公的權力以救國民黨的熱情，結果，沒有救住大陸上的國民黨。

『現在我以中共心目中的反動份子的身份，也常常湧起要救中國必須先救共產黨的幻覺，認為有一個「非共產主義的堅強共產黨」，國家才可以變而不亂；這大概較之我當年想救國民黨的心，更為幼稺可笑了。』

——一九八〇／二／一，〈八十年代的中國〉，《中報月刊》一卷一期

貳、讀書和研究的態度與方法

讀書和研究的態度與方法之一

『第一次我穿軍服到北碚金剛碑勉仁書院看他（註：熊十力）時，請教該讀什麼書。他老先生教我讀王船山的《讀通鑑論》，我說那是早已經讀過了，他以不高興的神氣說：「你並沒有讀懂，應當再讀。」過了些時候再去見他，說《讀通鑑論》已經讀完了。他問：「有什麼心得？」於是我接二連三地說出我的許多不同意的地方。他老先生未聽完便怒聲斥罵說：「你這個東西，怎麼會讀得進書！任何書的內容，都是有好的地方，也有壞的地方。你為什麼不先看出它好的地方，卻專門去挑壞的；這樣讀書，就是讀了百部千部，你會受到書的什麼益處？讀書是要先看出它的好處，再批評它的的壞處，這才像吃東西一樣，經過消化而攝取了營養。譬如《讀通鑑論》，某一段該是多麼有意義；又如某一段，理解是如何深刻。你記得嗎？你懂得嗎？你這樣讀書，真太沒有出息！」這一罵，罵得我這個陸軍少將目瞪口呆。原來讀書是要先讀出每一部的意義！』

——一九五九／十／一，〈讀書的方法〉，《文星》第二十四期

讀書和研究的態度與方法之二

『我們所讀的書，除了一部分原始資料外，絕大多數，其本身即是在對某問題作直接的解答。因此，讀書的第一步，便不能以假設來開始，而只能以如何了解書上所作的解答來開始。

『讀書真正的目的，有如蜜蜂釀蜜，是要從許多他人的說法中，釀出新的東西來，以求對觀念或現實作新的解釋，因此而形成推動文化的新動力。在此一大過程中，分析與綜合的交互作用，才占了方法上的主要地位。』

——一九五九／一，〈應該如何讀書？〉，《東風》一卷六期

讀書和研究的態度與方法之三

『陳寅恪先生在《元白詩箋證稿》對唐代文學發展的意見，我並不贊成；但當我看這部著作時，使我非常感動。

『我覺得沒有問題的地方，他卻能看出問題；而且一經他道破，便感到的確是有問題。

『看來與問題並無關聯的材料，經他一番分析、疏導後，居然引出了解決問題答案的線索，終於得出可以承認的結論。這對我的啓發性太大了。

『其次，給我啓發性很大的便是王懷祖的《讀書雜誌》。

『馬浮先生的《爾雅臺答問》，是近三百年來最特出的一部著作，可與熊十力先生的《十力語要》相提並論。』

——一九七四／十一／一，〈答輔仁大學歷史學會問治古代思想史方法書〉，《幼獅月刊》四十卷五期

讀書和研究的態度與方法之四

『一個人讀了書而腦筋裡沒有問題，這是書還沒有讀進去，所以只有落下心來再細細的讀。讀後腦筋裡有了問題，這便是叩開了讀書的門，所以自然會趕忙的繼續努力。』

——一九五九／十／一，〈讀書的方法〉，《文星》第二十四期

讀書和研究的態度與方法之五

『所以先生（註：熊十力）很知道佛老的玄學，在小知俗學中，容易成就聲名。但他終不以一己聲名之私，忘對國家民族所應盡的責任，他中年以後，志之所存，皆集中在以儒家的文化學術救世的這一點，這是與宋明諸大儒，多由佛老回歸儒術的動機，不期而合的，此之謂大節。』

——一九七三／三／二十七，〈遠奠熊師十力〉，《華僑日報》

讀書和研究的態度與方法之六

『作人文科學研究的人，首先要求有一個由「忠於知識」而來的勤勉、謙虛、自信，及「過則無憚改」的態度。

『忠有「盡己」及「服從」的雙重意義。朱子以「盡己之謂忠；如實之謂信」解忠信兩字，意義深遠。「盡己」是竭盡自己的一切，而毫無保留地去追求知識。「服從」是絀退虛名、意氣、勢利、權威、人情、世故，惟知識是從。

『胡適之先生的一篇講演稿，內容大體上說治學要「勤」要「緩」。

『所謂「勤」除了勤於閱讀，勤於蒐集外，在寫文章時，只要發現有一點缺口，有一點於心不安，便不應輕易放過。所謂「緩」，是指材料沒有收齊，觀念沒有成熟，固然不應輕易動筆。即使覺得材料、觀念都已具備了，還應多醞釀一段時間，在腦筋裡多轉幾回圈子，並從與自己意見相反的方向多想想。

『「謙虛」，主要是對材料而言。先讓材料自己講話，在材料之前，犧牲自己的任何成見。

「自信」是在深入材料去以後，對任何與材料不符，但被人視為權威的說法，都敢站起來替材料講話。

這是面對知識的堂堂正正的人生態度。』

——一九七四／十一／一，〈答輔仁大學歷史學會問治古代思想史方法書〉，《幼獅月刊》四十卷五期

讀書和研究的態度與方法之七

『科學中的假設，無一不是先經過嚴密的探討、操作而來。只有這樣，才能成為科學的假設。學問的真正功夫，開始正表現在達到非有此一假設不可的這一過程之上。所以這種假設，是已經過了真實的學問功夫所提出的「可能性最大」的假設。提出科學的假設，值得稱為科學的假設，談何容易！胡先生（註：胡適）之所謂「大膽假設」的「大膽」，不知意何所指？

『大學的學生，不論做那一門學問，若先從「大膽假設」下手，他們將根本不能下手。而科學方法，便先要告訴人一個可確切下手的地方，有如演幾何之先從自明的公理演起一樣。又如「小題大作」的「小」和「大」，又是什麼意思呢？按著應有的步驟，一步一步的弄清楚，弄清楚了一步，再向前走一步，步步踏實而不蹈空，這是一般做學問的態度。任何學問都有「起步」之處。起步之處「小題」；一步一步的弄清楚，這也不能稱之為「大作」。

『但找資料，保存資料，並不就是學問。由找資料而走到選擇資料，才開始了學問的行程。選擇資料的本身就是真正的整理資料；也由此而可以不僅是整理資料，以成其為「學」。

「上窮碧落下黃泉，動手動腳找資料」，只算是兩頭不到岸的口號。

『「實事求是」的第一表現，是知道每一學術的界限，知道個人在學問面前的分寸，因而先把自己所信所學的，清清楚楚地拿出來，對於自己所不信不學的，能「批判」便「批判」，不能批判便採「慎言其餘」的態度，而不要趁口快去打倒。』

——一九五四／一／十三，〈吳稚暉先生的思想〉，《自由人》二九九期刊

讀書和研究的態度與方法之八

『決定如何處理材料的是方法；但決定運用方法的則是研究者的態度。

『在研究自然科學方面，因為研究的對象和研究者的真實生活，有距離，於是他的真實生活的態度，和他走進實驗室時的態度，也可以形成一個自然的隔限，而不易受到現實生活態度的影響。

『並且自然科學的真理，其證明是來自對象的直接答覆。所以一經證明以後，便沒有多大的爭論。

『研究人文科學，則研究的對象與研究者真實生活的態度，常密切相關；於是在真實生活中的態度，常能直接干涉到研究時的態度。

『要使我們的真實生活態度能適合於研究時的態度，最低限度，不太干涉到研究時的態度，這恐怕研究者須要對自己的生活習性，有一種高度的自覺，而這種自覺的功夫，在中國傳統中即稱之為「敬」。

『敬乃貫徹於道德活動，知識活動之中的共同精神狀態。

『求知的最基本要求，首先是要對於研究對象，作客觀的認定；並且在研究過程中，應隨著對象的轉折而轉折，以窮究其自身所含的構造。

『就研究思想史來說，首先是要很客觀地承認此一思想；並當著手研究之際，是要先順著前人的思想去思想，隨著前人思想之展開而展開；才能真正了解他中間所含藏的問題，及其所經過的曲折；由此而提出懷疑，評判，才能與前人思想的本身相應。』

——一九五九／十，〈研究中國思想史的方法與態度問題〉，《中國思想史論集・序》

讀書和研究的態度與方法之九

『蕭先生（註：蕭一山）感慨地說：「歷史中的小事，有真有偽；但歷史中的大事卻必然是真的。學歷史的人，應先把握住歷史中的大事，再由大事以權衡比較小的事。現實風氣，一開始便糾纏在小事的真偽之爭裡面，這如何能把握到歷史。」』

——一九七八／七／十八，〈悼念蕭一山、彭醇士兩先生〉，《華僑日報》

讀書和研究的態度與方法之十

『我國史學傳統「《春秋》一字褒貶」之說，所給予史學的糾纏與歪曲的影響，殆有類於黑格爾的《歷史哲學》。』

——一九五五／六／十五，〈錢大昕論梁武帝〉，《自由人》

讀書和研究的態度與方法之十一

『歷史的真實，即是人類所遭遇的問題的真實。一部《史記》，便是在「見其表裡」中寫出來的。

『每一個人，由心理到私生活，由私生活到社會生活，都有表層，及藏在表層下的裡層。表裡一致的是真。裡層與表層發生距離時，裡層是真，表層就滲了假。一般地現象，政治社會的地位愈高，表裡的距離就越大，以致社會不能看到裡層的真，而只能看到表層的假。

『在上的人，以假相加；在下的人，以假相應；整個局勢，成為假戲，而裝扮作真唱的場面。但在假戲後面，卻有一股見不得人的暗流，也即是裡層的真，在決定歷史的命運。

『此時，只有智慧很高，心靈特敏的人，才能「具見其表裡」，以照出歷史的真相與問題。這是大文學家、大史學家所必須具備的基本條件，也是真正抱有澄清之志的人所必須具備的基本條件。』

——一九八〇／十二／四，〈張佛千先生文集序〉，《華僑日報》

讀書和研究的態度與方法之十二

『今日研究中國文化，較之研究西方文化，每一門學問，都建立有可靠的基礎的，要困難得多。

『但也正因為是這樣，所以只要摸到了門徑，下三、五年工夫，便能提出新的貢獻，在學術上可以站了起來。因為從現代學術的觀點來說，中國文化是原料而不是製成品。把原料作成製成品，比以新製成品去壓倒舊製成品要容易得多。

『應養成思考、判斷的能力，要多作比較的研究；這除了要先精讀幾部中國古典，還要徹底弄通一種外國語言，切實讀點西方的古典，並不斷與時代有關的思想，保持接觸。在西方典籍的閱讀中，培養治學的方法；在西方的文化問題、思想問題中，反映出中國文化自身的問題，及其在世紀文化中的地位與貢獻。』

——一九六二／六，〈我看大學的中文系〉，《東風》二卷七期

讀書和研究的態度與方法之十三

『言學問，必以「積」為基本的功夫。

「積」，一定是由一點一滴著手；積是與時間成正比例，時間愈久，在學問上便積累得愈多。

『積的動力，還是朱元晦所說的，「心便愛了」的「愛」。假使一定要說學問上也有天才的問題，則有無天才，表現在對學問的愛與不愛。

『學問基本表現在「識力」上。任何有關材料，到自己面前，都能判別它的分量，發現它的意味與問題；將零碎者加以合乎邏輯的貫通；將隱密者加以自然而合理底顯露；自己犯了錯能反省出來，若經他人指出，便自然而然底以感佩底心情來接受、改正，此之謂「識力」。

『一個人所得知識的妥當性，決定於他識力的高下。

『識力主要是來自以漸來消化所積的材料。積有如牛的吃草，漸有如牛的反芻。積的心理狀態是窮搜遠紹、較量錙銖。漸的心理狀態是心平氣靜，從容尋繹。在尋繹中有反省，在反省中再尋繹。

『漸必須來自積。必須積而又積，漸而又漸；積以終身，漸以終身。

『由積與漸的功力之差異，表現於文章時，是尖新、奇崛、平凡底偉大三者間的差異。』

——一九八一／七／五，〈學問的歷程——臥雲山房文稿序〉，《華僑日報》

讀書和研究的態度與方法之十四

『「觀念」，指的是一個人，對於客觀事物，由觀察、追索而來的自己的一種觀點。簡言之，是客觀事物在一個人的主觀上所起的肯定性的反映。若純就求知的學問上說，則觀念是一個人求知的結果。但這種結果，又會回頭去作一個人求知的導引。因此，一個人的求知的成績，實際是由他的觀念所決定的。

『只要是在學術上真有貢獻的人，他一生治學的過程，即是自己的觀念，不斷的結成與解消的過程。不讓在自己主觀中所結成的觀念變成信仰，使它隨時接受客觀事物的考驗；一有杆隔，立刻解消原有的觀念，以順從客觀事物，吸收客觀事物，以結成新的觀念。由客觀事物所引起的觀念的解消，實際即是觀念的充實、豐富。』

——一九六三／九／八，〈觀念的貧困與混亂〉，《華僑日報》

讀書和研究的態度與方法之十五

『讀中國的古典研究或研究中國古典中的某一問題時，我一定要把可以收集得到的後人的有關研究，尤其是今人的有關研究，先看一個清楚明白，再細細去讀原典。因為我覺得後人的研究，對原典常常有一種指引的作用，且由此可以知道此一方面的研究所達到的水準和結果。但若把這種工作代替細讀原典的工作，那便一生居人胯下，並貽誤終身。看了後人的研究，再細讀原典，這對於原典及後人研究工作的了解和評價，容易有把握，並常發現尚有許多工作需要我們去做。』

——一九五九／十／一，〈我的讀書生活〉，《文星》第二十四期

讀書和研究的態度與方法之十六

『我們對古典的理解，必須由文字的訓詁，以進入到精神的體認、和思辨的分析、綜合，才算完成了理解的過程。』

——一九六八／七／十一，〈悼念熊十力先生〉，《華僑日報》

讀書和研究的態度與方法之十七

『希望治國學的人，能從西方的學術訓練中，訓練自己的思考能力；能從現實的人生社會的體驗反省中，恢復自己的價值意識，才能在現代學術的基礎上重新來講中國傳統的學問，這是一件艱鉅而長期的工作。』

——一九六〇／五／一，〈按語 〈評章太炎對中國文化的認識〉 韋政通著〉，《民主評論》十一卷九期

讀書和研究的態度與方法之十八

『我覺得每人應先選定一部古典性質的書，徹底把它讀通。不僅要從訓詁進入到它的思想，並且要理解這種思想的歷史社會背景；理解在這些時代背景下著者遇到些什麼問題，他是通過怎樣的途徑去解決這些問題；了解他在解決這些問題中，遇到些什麼曲折，受到了那些限制，因而他把握問題的程度、及對問題在當時及以後發生了如何的影響；並且要了解後來有那些新因素，滲入到他的思想中，有那種新情勢是對他的思想發生了新的推動或制約的力量，逐步的弄個清楚明白，以盡其委曲，體其甘苦，然後才知道一位有地位的著者，常是經歷著一般人所未曾經歷過的艱辛，及到達了一班人所未曾到達的境界。

『受到由著者經歷所給與讀者的訓練，而將自己向前推進一步。

『由此以取得在那一門學問中的起碼立足點。』

——一九五九／一，〈應該如何讀書?〉，《東風》一卷六期

讀書和研究的態度與方法之十九

『西方的哲學著作，在結論上多感到貧乏，但在批判他人、分析現象和事實時，則極盡深銳條理之能事。人的頭腦，好比一把刀。看這類的書，好比一把刀在極細膩的砥石上磨洗。』

——一九五九／十／一，〈我的讀書生活〉，《文星》第二十四期

讀書和研究的態度與方法之二十

『只有讀組織嚴密的思想性著作，才能養成自己的思考能力，邏輯教科書是沒有大用處的。』

『只有讀論證精詳的考證性的著作，才能養成自己的考證能力，決不應僅靠方法上的說教。』

『同時，真要看懂他人的著作，要靠自己的功力。而選擇名著，反覆用心去精讀熟讀，一寸一寸的把握其中的綱要、條理、及取材、推演的方式，是培養功力的不二法門。』

——一九七四／十一／一，〈答輔仁大學歷史學會問治古代思想史方法書〉，《幼獅月刊》四十卷五期

讀書和研究的態度與方法之二十一

『一部重要的書，常是一面讀，一面做記號。記號做完了便摘抄。我不慣於做卡片。卡片可適用於蒐集一般的材料，但用到應該精讀的古典上，便沒有意思。書上許多地方，看的時候以為已經懂得；但一經摘抄，才知道先前並沒有懂清楚。所以摘抄工作，實際是讀書的水磨工夫。

『摘抄一遍，可以幫助記憶，並便於提挈全書的內容，匯成幾個重要的觀點。』

——一九五九／十／一，〈我的讀書生活〉，《文星》第二十四期

讀書和研究的態度與方法之二十二

『民國三十一年軍令部派我到延安當聯絡參謀，住在窯洞裡的半年時間，讀通了克勞賽維茲所著的《戰爭論》，但又從此把它放棄了。這部書，若不了解歐洲近代的七年戰爭、及法國從革命到拿破崙的戰爭，以及當時德國從康德到黑格爾的哲學背景，是不可能完全了解他的。在延安讀這部書，是我的第三次。這一次偶然了解到他是通過哪一種思考的歷程，來形成此一著作的結構、及得出他的結論；因而才真正相信他不是告訴我們以戰爭的某些公式，而是教給我們理解、把握戰爭的一種方法。

『凡是偉大的著作，幾乎都在告訴讀者一種達到結論的方法，因而給讀者以思想的訓練。』

——一九五九／十／一，〈我的讀書生活〉，《文星》第二十四期

讀書和研究的態度與方法之二十三

『只要能成為一種知識便應當有若干共同的特性：

『第一、它是可以經驗得到的。

第二、它是合理的，因而也是有秩序的。

第三、它是客觀的；或可以客觀化出來的。

第四、它縱使極精極深，但可以通過一條路徑去接近、把握，因而是可以學習的。

『追求知識的目的，不僅在積極地學到某些知識，同時也是訓練自己的思考，由渾沌而進入明確，由雜亂而得到條理。

『把雜亂的材料，加以處理，以建立某種秩序，這便是知識。

『有的是知識以外的學問，有如道德、宗教、藝術等，它們的自身並不是知識；但當我們把它當作研究的對象時，依然首先要通過知識去加以處理。由研究而轉移到將其實現時，才由知識的活動，轉移為實踐的活動。』

——一九六六／二，〈知識與符咒〉，《華僑日報》

讀書和研究的態度與方法之二十四

『做學問最基本的工作，首在收集資料、整理資料、把資料加以消化。當以某一問題為中心而開始收集資料時，由此一資料而涉及彼一資料、輾轉牽涉，便會頭緒紛繁、出入互見；此時寫一篇文章以便把頭緒加以清理，把出入加以比較，這是整理資料的一種最切實而妥當的方法。』

——一九五六／六，〈為學習而寫作〉，《大學生活》二卷二期

讀書和研究的態度與方法之二十五

『一切都要由基本材料下手，在基本材料上立根基。』

『找材料再勤，也必有遺漏，必有繼續發現。假定我的考證是正確的，則繼續發現的材料，都會為我作證。假定考證錯誤了，繼續發現的材料，都會成為我的對頭。』

『我對「孝經」成立年代的考證便遇到後面的情形，逼得我只有認錯。』

——一九七四／十一／一，〈答輔仁大學歷史學會問治古代思想史方法書〉，《幼獅月刊》四十卷五期

讀書和研究的態度與方法之二十六

『我覺得抄書是寫文章的起點。因為你想抄某一、篇某一段東西的時候，已經是初步發生了選擇的作用。所以也是在收集資料時的初步整理工作。』

——一九五六／六，〈為學習而寫作〉，《大學生活》二卷二期

讀書和研究的態度與方法之二十七

『當你有某種感想，經過初步的思考而覺其值得寫出，你便決心將它寫出時，你的思考力便隨著文章的展開而展開，隨著文字的鍛鍊而鍛鍊。就我個人的經驗來說，在寫的經歷中對問題所發掘的深度和廣度，決非開始拿筆時所能想到。

『「寫」是發展鍛鍊思考的重要方法。

『以寫的方法來發展思考，鍛鍊思考，有同於自然科學研究中的演算。』

——一九五六／六，〈為學習而寫作〉，《大學生活》二卷二期

讀書和研究的態度與方法之二十八

『我才慢慢知道，文章的好壞，不僅僅是靠開闔跌宕的那一套技巧，而是要有內容。就一般的文章說，有思想才有內容，而思想是要在有價值的古典中教育、啓發出來，並且要在時代的氣氛中開花結果。』

——一九五九／十／一，〈我的讀書生活〉，《文星》第二十四期

讀書和研究的態度與方法之二十九

『論文與詩詞不同。詩詞主要表達個人之感情，他人心目中之工拙，可以不計。論文則以被論及之對象為主體，涉及理論者，惟理論可以駁之。涉及證據者，惟證據可以駁之。此學術之所以為天下之公器也。』

『弟年來常感到必有學術之良心，而後可以運用科學之方法，然後可以進入某一學問之藩離。』

——一九七三／三／一，〈有關周公問題之商討〉，《東方雜誌》六卷九期

參、智識份子

參之一、『士』

『士』之一

『論語中由孔子的學生所記錄的孔子自己所說的語言，也可以說是以君、臣、士三階層為對象所說的。

『孔子總是抑制這三階層的利益，使他們還原為一種「普遍地人」，具備普遍地人的條件，以盡到他們由職業地位而來的作為「特殊地人」所應盡到的責任。

『任何職業，任何地位的特殊地人，都可由忠信去盡到他的責任。但首須抑制由突出於庶民之上的階層利益。他說「士志於道而恥惡衣惡食者，未足與議也。」「士而懷居不可以為士矣」，這是抑制士的階層地利益的顯例。』

——一九七六／十一／七、二十三，〈面對時代淺談孔子思想〉，《華僑日報》

『士』之二

『中國聖賢立教，對「士」自身的要求，常常遠嚴格過對一般社會的要求。

『作為一個知識份子，在面對權勢時，應當堅守自己的權利，限定自己的義務。在面對社會時，則應當忘記自己的權利，擴大自己的義務。

『「先天下之憂而憂，後天下之樂而樂」的知識份子才是知識份子個人主義的「正種」。』

——一九六八／十二，〈中國知識份子的責任〉，《大學雜誌》十二期

『士』之三

『因為在深厚地中國文化傳統中，很昭著地教示知識份子，以一個最基本地立足點，即是民族的利害，必然地高置於政權是非之上。在此等處有所顛倒，其他學問，便難有一安放的地方。』

——一九七三／三／二十七，〈遠奠熊師十力〉，《華僑日報》

『士』之四

『世界上只要是精神正常的人士，對於不分青紅皂白來糟蹋自己整個民族文化的虐狂者，莫有不齒冷的。

『在人類的歷史中，乃至在中國的歷史中，是不斷的發生過「危亡的恐懼」，不斷的發生過外來的壓迫。在恐懼前低頭，在壓迫下屈服的奴才，才真正是歷史上送葬的行列。

『為文化的理念挺身而起，從理性上現實上重新反省自己，估計分析新的環境與新的事物，以使其服從於自己合理底生存慾望，這正是每一個思想家，文化工作者的責任。

『失掉了歷史記憶力的民族一定是生命枯竭而必歸於消滅的民族，所以最殘暴的殖民主義，必須消滅竄改其殖民地的歷史。』

——一九五七／五／十五，〈歷史文化與自由民主〉，《民主評論》八卷十期刊

『士』之五

『中國歷史上的知識份子，與近代的知識份子不同之處，在於中國是把德行、人格，安放在知識的上位，並不以追求知識為唯一的目標。

『真正有德行、人格的人，其良心的歸結，更明顯的會表現在對國家的眷戀，對鄉土的眷戀之上。

『人世間，若有一種學說，若有一種信仰，使人厭離自己的祖國，仇視自己的鄉土，對自己祖國、鄉土的苦樂利害漠不關心，甚至以「謂他人父」「謂他人母」為一己的莫大光榮，則這種學說、信仰的本身，即是一種莫大的陰毒與欺詐。』

——一九七五／十二／二十四，〈知識良心的歸結——以湯恩比為例〉，《民主評論》

『士』之六

『在目前風氣下，一個智識份子，要能愛護自己的文化，除了真肯下功夫研究以外，必須具備下面三個條件；至少也要具備其中的一個或兩個。一、對於自己的國家民族，有深厚的感情。二、真正研究西方文化史而確有所得，對西方文化之追求，並非出於依時的勢利眼。三、對人生，社會，抱著光明正大之志願，努力實行，備經艱苦，到了四、五十歲後，能引起反省，消除少年時的意氣。』

——一九六二／十二／十六，〈一個偉大地中國地台灣人之死〉，《民主評論》十三卷二十四期

『士』之七

『凡不關於自己個人現實上的利害得失，而對某事忽然有不知其然而然的憤悱之情，極難安的感覺，這常常是一個人良心發現的徵候。

『良心外發，總求不合理的歸於合理，不平的歸於平，因此，它必然表現為批判的性質。』

——一九六一／六／十六，〈立言的態度問題〉，《民主評論》十二卷十二期

『士』之八

『文章的份量主要係看他寫時的動機，是否出於「良心的衝動」。文章的價值，與作者在寫作時良心的衝動常呈正比。

『所謂良心的衝動，即是對於某一現實問題，使作者感到良心的不安，覺得不把對於這一問題的看法，寫了出來，便如鯁在喉，不吐不快。』

——一九六一／六／十六，〈立言的態度問題〉，《民主評論》十二卷十二期

『士』之九

『做學問不怕錯，只怕不肯認錯，更進而以誣掩錯，此乃我國智識份子之死結，學術中之死結。

『無真實國族社會之愛，即不可能有人類之愛。無人類之愛，則心靈封鎖鄙惡，絕不能發現人生。此種人，此種作品，皆與文學無關。

『惟沉心靜氣，不被浮名浮利所擾動者，乃能進入學問之門，步步開擴，步步上進，諸君勉之。

『做學問不怕慢，只怕不實。治中國哲學者，應以一步登天為大戒。』

一九八二年二月二十一日於病榻

——金達凱〈悲劇時代中一位歷史人物的安息〉，《徐復觀教授紀念文集》，時報出版社，一九八四

參之二、政治與智識份子

政治與智識份子之一

『希臘的知識份子，是由商業蓄積的富裕生活而來的精神閒暇所形成的。

『第一、他們不是為了求生活而去找知識；這便保障了知識的純粹性。

『第二、希臘的哲人，大體都熱心政治；但政治對於他們只是一種社會活動，因而保證了個人對政治之獨立性，養成西方以獨立底個人立場，以社會立場，而不是以統治者的立場去談政治的優良統治。

『到了近代，知識分子是和工商業之發展而同時興起的；其形態是以知識支持了工商業，也以工商業而支持了知識。

『中國知識分子，在社會上無物質生活的根基；除政治外，亦無自由活動的天地。「遊士」「養士」兩個名詞，正說明了中國知識分子的特性。「遊」是證明它在社會上沒有根；「養」是證明它只有當食客才是生存之道。

『而遊的圈子也只限於政治，養的圈子也只限於政治。於是中國的知識分子，一開始便是政治的寄生虫，便是統治集團的乞丐。』

——一九五四／四／十六，〈中國智識份子的歷史性格及其歷史的命運〉，《民主評論》五卷八期

政治與智識份子之二

『從唐朝的科舉一開始，所有像點樣子的知識份子都非常痛恨這個制度。因為這個制度完全是對知識份子進行馴服腐化的。你不通過這一關，你就不能做官，你在社會上就站不起來，你作詩，你的詩沒有人傳誦。科舉制度是專制政治想出來的最惡毒的辦法。

『我說造成中國今天這種樣子，知識份子的責任最大，這跟中國知識長期在專制政治環境裡形成的歷史性格有關。知識份子好發議論而缺乏道德勇氣，何以對得起辛亥革命的先輩，何以對得起孫中山先生？』

——一九八一／十／一，〈你們應該反省！〉，《百姓》第九期

政治與智識份子之三

『我國知識份子，抑壓于專制之下，非曠代大儒，即不能完成人格精神之獨立自主；而政治主動性之完全被剝奪，更無論矣。才智之士，依附于一二悍鷙陰猾之夫，以成其所謂功名事業，則飾其所主者曰「聖君」，而自飾曰：「賢相」；聖君聖賢，乃中國歷史中最理想之政治格局，固不知此種格局之背後，實際藏有無限之悲劇也。

『余嘗謂我國歷史，僅有大奸大猾之造反，而無書生之造反，此實歷史之羞，亦書生之恥。

『夫民主之運行，必有賴于對立之兩黨，此稍有良識者類能言之。

『嗟呼！若孔、孟、程、朱、陸、王生於今日，跡其不肯枉尺直尋之心，推其悲天命而憫人窮之念，將欲為生民開萬世太平之業，其必投袂奮起，組織政黨以實踐民主政治，無疑也。』

——一九五五／十一／十六，〈中國知識分子精神之回向〉，《人生》十一卷一期

政治與智識份子之四

『以其知識影響社會的是知識份子；以其技術建造機械，使用機械的是技術人員。當然，有許多知識分子而兼技術人員；也有許多技術人員而兼知識份子；以致二者的分別並不明顯。

『技術的效用是無顏色的；所以技術人員，可以為各種型態的極權專制者所容；甚至為他們所需要。

『知識接觸到實際問題時，經常是以批判之力，發生推進的作用；所以知識份子必然被各種型態的極權專制者所排斥。』

——一九六八／十二，〈中國知識份子的責任〉，《大學雜誌》十二期

參之三、近代中國智識份子的性格及言行

近代中國智識份子的性格及言行之一

『先生（註：熊十力）又反覆地說：

「天下泊沒於勢力，知識分子喪心病狂，真有使我發生將萬世為奴的感慨。一二人之力，單薄孤危，要挽救也無濟於事。黨人以勢利相結合，尤不可言。所以我常想，應當以講學結合有志之士多人，代替政黨的作用，為國家培植根本，為社會轉移風氣。」』

——一九六九，〈有關熊十力先生的片麟隻爪〉，《中華雜誌》第七十八號

近代中國智識份子的性格及言行之二

『這般高級知識份子的生命中還缺少一樣東西，即是起碼的救世精神。救世精神的內容，是無窮無限，我們不能希望每一個人都能做聖人，都能做大宗教家。但是我們只要留心人類歷史，凡在艱難困苦的時代，能為人類延續文化命脈，開創文化生機的人，其內心總多少蘊蓄有一份悲憫之情，因而發生一種為人類擔當責任的宏願。』

——一九五五／三／六，〈對南洋大學的期待〉，《華僑日報》

近代中國智識份子的性格及言行之三

『概觀近二十多年來知識分子的性格，其形態可略舉以三：

『一是以個人小利小害為中心的便宜主義。在便宜主義之下，決不擔當一點天下的公是公非。

『一是貌為恭順，刻意揣摩。百說百從，百呼百諾。但實則一事不辦，一事無成。

『一是捕捉機會，肆行敲詐，獲取報酬。為了表現恭順，則集權的口號當行；為了實行敲詐，則民主的理論應手。

『民國三十六年到三十七年大陸上演的民主表演（註：指第一屆總統、國大代表及立法委員選舉的過程），是知識份子發揮集千年來科舉制度養成的性格所達到的最高峯。

『在共產黨魔掌下所逼出的千千萬萬的知識份子的坦白書，我不相信便無幾分真正痛悔之情含在裡面。』

——一九五四／四／十六，〈中國智識份子的歷史性格及其歷史的命運〉，《民主評論》五卷八期

近代中國智識份子的性格及言行之四

『中國的大知識份子，多是看上不看下，看己不看人，看外不看內的三看三不看的特性。』

——一九五九／七／十六，〈賣文買畫記〉，《民主評論》十卷十四期

近代中國智識份子的性格及言行之五

『中國知識分子，在長期專制的威脅利誘之下，其品格的卑汙，冠四民之首。』

——一九八一／四／二十四，〈試評中共愛國主義〉，《華僑日報》

近代中國智識份子的性格及言行之六

『當某一個人墮落的時候，當一個團體墮落的時候，當民族墮落的時候，對於自己的弱點、總不肯從自己的根源上去找原因，總不肯從自己的根源上挺身站起，而一定把原因投射到外面去，在外面找一個替死鬼來為自己負責。外面的問題不解決，便認為自己的問題也不能解決。』

——一九五四／六／一，〈懶惰才是妨礙中國科學化的最大原因〉，《民主評論》五卷十一期

近代中國智識份子的性格及言行之七

『文化買辦，也和經濟買辦一樣，只拿洋人的招牌來嚇唬中國人，但決不像民族資本家一樣，把近代生產技術，成套的和中國的人力資源、才智結合起來，以提高本國的生活水準。

——一九五四／十／十六，〈按語 〈論聯合國人權法案〉 趙盾譯〉，《民主評論》五卷二十期

近代中國智識份子的性格及言行之八

『我曾指出：班固為效忠漢室政權而作史，所以司馬遷的史記，對漢室政權有深刻的批評，而漢書則作多方面的護衛。但賈山不過是一位列侯的騎馬衛士，因為他曾向文帝上「至言」，班固為他立傳，這可以說是史家破例的特筆。

『「至言」的主要內容：首先說明以秦的強大，所以二世而亡，是因為始皇對提出批評意見（諫）的人，輒加之以罪，所以將亡的現象已著，而沒有人敢向他說出。由此可知接受批評與否，是興亡的關鍵。其次說明皇帝的威嚴，是至高無上的。人臣不是置生死利害於不顧，便不敢提出批評意見。所以，皇帝應當鼓勵臣民提出批評，不可加以抑壓。又其次，能提出有力批評的是「士」，所以朝廷應當養士、敬士。班固認為賈山的話，說到了治亂興衰的要點，說這種話的人，才真是為朝廷效忠的人，所以便為他立傳。

『三千多年前的歷史證明，凡是逢君之惡，長君之惡的應聲蟲，必然是奸賊；凡是犯顏極諫，提出人君所不願聽的政治社會問題的人，多是忠良。

『毛澤東喜歡讀通鑑，連這一起碼的歷史教訓都不曾接觸到，繼起的人而要加以師承，這真是中國的大悲劇。國內的知識分子，在那種體制之下，是無可奈何的。

『海外負有聲譽的知識份子，有充分的言論自由，回到祖國觀光，假定對這些年來最顯著的錯誤（例如文教政策）與危機，毫無感覺，則他們的知識到什麼地方去了。若有所感覺而不肯出一言，以促成中共的反省，則他們的良心到什麼地方去了？他們發表的隨聲附和，顛倒黑白的言論，鑲在歷史的鏡子裡面看，對國家人民而言，乃至對中共而言，到底是忠良？還是奸賊？』

——一九七七／八／三、十，〈瞎遊雜記之七〉，《華僑日報》

近代中國智識份子的性格及言行之九

『中國文化豈無流弊？線裝書豈能完全解決問題？

『但吳（註：吳稚暉）先生硬要說是「臭東西」，硬要「投入茅廁裡」，硬要把中國的道德和「鼻涕眼淚亂迸，指甲內泥污積疊」連在一起，而證明其為「低淺」。這種結論，是用邏輯推出來的嗎？是在線裝書中發現有把「鼻涕眼淚亂迸」說即是道德嗎？胡先生稱這是「很大胆的東西文化比較的論斷」，大膽是大膽，但這是經過了思想訓練、學術操作而來的嗎？

『吳先生把人生看作「那兩手兩腳戴著大腦的動物在宇宙的舞台上演他們的戲」，這比共產黨眼裡的人更有半絲半毫價值嗎？大家罵共產黨統治下是「純物的世界」，「純物的世界」自然沒有自由；但在吳先「開除了上帝的名額，放逐了精神元素的靈魂」的世界裡，又是一種什麼世界呢？古今中外的學說，是誰說過靈魂是精神的元素？

『「實事求是，莫作調人」八個字是好的。但我要指出，只有知道學術甘苦的人，才能知道每一學術的界限，知道自己在學術面前的分寸。只有知道這種界限，知道這種分寸的人，才能實事求是；只有在實事求是之前，才說得上不做調人。』

——一九五四／一／十三，〈吳稚暉先生的思想〉，《自由人》二九九期

近代中國智識份子的性格及言行之十

『對於一個人所作的人格上的批評，應當有一個最基本的尺度，即是某人作某種行為的目的，是否為了自己個人的利益。

『一個人（註：王國維）寧願犧牲一己的生命，來貫徹他的所信，來填補他自己感情上的矛盾，和人生上的空虛；而這種犧牲，只作為自己一個人的事，絕無意拖累到社會；則這種死，縱然從時代上去做客觀的衡量，而認其一無價值，甚至是一種錯誤，但就死者個人的立場看，他的靈魂是可由此而得到乾淨，得到超昇的。

『我們縱可以從社會的立場，從時代的觀點，對於這種死不加以鼓勵，但總可與以同情的諒解：這即是中國俗語的「除死除走」的道理。更如何能牽涉到這個人在學問上的成就？』

——一九五七／五／一，〈按語〈論陳含光的詩與文藝獎金〉馬抱甫著〉，《民主評論》八卷九期

近代中國智識份子的性格及言行之十一

『有人關緊房門，背著時代，幹點雞零狗碎但無關痛癢的工作，認為這即表示了學術的崇高純潔。但夷考其實，則此種人，常常是在表面上離開現實、而事實上乃不斷地向現實討便宜。

『揭穿了說，這是以時代的血和淚來作建造象牙之塔的水泥。

『若以此來嗚高，並以此來向青年立教，那才真是殘酷地狡獪。』

——一九五八／四／六，〈怎樣來當學生〉，《東風》一卷三、四期

近代中國智識份子的性格及言行之十二

『有一位胡先生（註：胡適）的後學曾經和人說：「胡先生只和我們講講學就好了，還談什麼自由民主，和許多不相干的人來往幹什麼？」其實，作為中國的一個知識份子，把自由民主的問題，能放在一旁，甘心不聞不問，而只以與世無爭的態度來講自己的學問，這種知識分子，他缺少了起碼的理性良心；他所講的學，只能稱之為偽學，或者是一錢不值之學；在這一點上，胡先生會比我們知道得更清楚。』

——一九六二／三／一，〈一個偉大書生的悲劇〉，《文星》五十三期

近代中國智識份子的性格及言行之十三

『日本人要我們忘記中國的文化，內心裡認為中國文化對我們是有價值的。而我們的祖國的先生們（註：台灣的西化派），希望我們忘記中國文化，公開地認為中國文化對我們是沒有價值的』

——一九六二／十二／十六，〈一個偉大地中國地台灣人之死〉，《民主評論》十三卷二十四期

近代中國智識份子的性格及言行之十四

『報紙、雜誌的言論，十之八九，都是涉及作者個人以外的「共同問題」。對共同問題若沒有「共同的責任感」，便沒有開口、提筆的資格。

『根本對自己的言論沒有責任感的人，有什麼資格去談言論自由？』

——一九六三／十／二，〈言論的責任問題〉，《徵信新聞報》

近代中國智識份子的性格及言行之十五

『「常事不書」，史家已是如此，何況是寫在新聞雜誌上的東西？新奇而突出的事情，很少是有教養價值，甚或是反教養價值。

『在一群人中，可以有各種各樣的人。但各種各樣的人中，總有若干潛伏或顯明的共同規範。其中可能有很突出的壞人；但支持此一社會生存發展的決不是這一類的壞人；可以有各種各樣稀奇古怪的事，可以有許多見不得人的事；但此一社會的安定、進步，決不是靠著這一類的事。凡是突出的人、突出的事，常常有新聞價值；但有新聞價值的東西，並不一定是真正可以代表某一社會的東西。

『任何成功的人，在生活上一定有他許多的缺點。有出息的人，便會從他成功的方面受影響；沒有出息的人，便常援據他人的缺點以自證自慰。』

——一九六三／七／十四，〈國際社會間「友道」的問題〉，《華僑日報》

近代中國智識份子的性格及言行之十六

『乾嘉以來的中國知識份子，「為私人的名利而文化」的成分，遠超過了「為文化而文化」的成份。追求文化的態度，遠不及日本知識份子追求文化的忠誠熱烈。』

——一九六八／五，〈中日吸收外來文化之一比較〉，《百年來中日關係論文集》

近代中國智識份子的性格及言行之十七

『為了要確定當前某一人在學問上的地位，應當在這種學問的源流演變中來加以確定。在某一學者的本人，常自以為自己的成就是蓋天蓋地；但在這一門學問的源流演變中看，卻不過是一枝一葉。

『但百十年來，我們留學學西方的，常常把他有機緣接觸到的一家之言，當作獨一無二的蓋天蓋地的真理，首先把自己居囚在裡面，更以此為武器，橫衝直闖，打倒一切，這是中國學術發展的一大困擾。』

——一九七一／三／十五，〈從唐君毅先生論翻譯文章中的「厚古棄今」和「自相矛盾」說起〉，《民主評論》四十八期

近代中國智識份子的性格及言行之十八

『真是為了國家前途而歌頌共產黨，我佩服他的熱情。真是為了國家前途而批評共產黨，我佩服他的勇氣。以個人利益為出發點，則不論歌頌、批評，便有如某報的「赤足集」中所說的令人嘔吐的蛆蟲。』

——一九七三／九／二十七，〈一番沉重的良心話〉，《華僑日報》

近代中國智識份子的性格及言行之十九

『我們現代化的失敗，許多知識份子，不從專制遺毒中去思考此一問題，不從知識分子自身的學習精神與造詣程度中去思考此一問題，不從升官發財，奔競角逐的無恥士風中去思考此一問題，卻把一切不進步的罪惡歸到我們的語言文字上。

『於是把我們由於語言特性所製造出來的表意文字完全廢掉，改為羅馬或拉丁的表音文字，認定這是我們進步的必然歸結。表意文字，是安定性較強的文字；我們得此一文字之力，而溝通了綿邈的古與今，融合了廣大的東與西，南與北。今欲一旦舉而去之，使我們廣大的人民，還原為文字未成立以前的意識混亂，生活孤立，古今不相及，東西南北不相通的狀態。』

——一九七七／二／十，〈漢字在日本的考驗〉，《華僑日報》

近代中國智識份子的性格及言行之二十

『你認為大陸難於出現思想家，把希望寄託在海外。這一點，我並不同意。海外的知識份子，不得意的中共瞧不起；得意的多帶有紈褲氣、洋翰林氣，他們只想沾上點中共關係為自己的名位增加一點光彩。

『這種學無根底，及胸懷鄙惡的人，能從他們的一點浮薄知識中轉出「為生民立命」的思想嗎？』

——一九七八／十／十、二十、二十一，〈國族無窮願無極、江山遼闊多時〉，《華僑日報》

近代中國智識份子的性格及言行之二十一

『在海外的知識份子，你有自由、有知識，「己所不欲，勿施於人」，你自己不願意的，要去歌功頌德，叫老百姓去接受。

『所以說老實話，毛先生（註：毛澤東）整知識分子，我有百分之七、八十是同情的，中國知識分子應該整。不過他整的方式不對，因為整知識分子而把知識也否定了。中國知識份子最缺乏的是人格，你還使他們更沒有人格，那怎麼行！』

——一九八一／五，〈徐復觀談中共政局〉，《七十年代》一三六期

近代中國智識份子的性格及言行之二十二

『弟於三十三年曾寫〈國民黨之改造〉一文，強調智識份子與農工結合，一以矯向農工學習之詐，一以去虛浮遊惰之根。』

——一九五二／一／二十五，《徐復觀致唐君毅佚書六十六封》，No. 2

近代中國智識份子的性格及言行之二十三

『五十年來觀察所得，知識分子常因本身學問無成、或因名利心太切，常想藉政治勢力以提高自己的地位與收入，而跌向左、右兩極中。跌向左的常以打擊中國傳統文化中好的一方面做進身的手段；跌向右的常以提倡中國傳統文化中壞的一方面做進身的手段。他們的名利，因此種手段而確有所獲，但遭殃的不僅是中國的傳統文化，而且是國家與人民。』

——一九八一／八／十七，〈城外瑣記之三〉，《華僑日報》

近代中國智識份子的性格及言行之二十四

『人民對於政治的判斷，不是出於思考，而是出於他在實際生活中的體驗，再由體驗推而為直觀性的判斷。人民對於什麼政治哲學，權力鬪爭等，是體驗不到，判斷不了的。但政府官吏行為的好壞，政府施政對人民利害的多少，政府對人民講話的是真是假，人民皆親見親聞，身受身領，比一般知識分子都體驗的特別深切。

『這是儒家主張「民之所好好之，民之所惡惡之」的根據，也即是民主政治的根據。

『一般知識分子由生活而來的體驗，不僅社會的意義狹小，且隨其享受程度的提高，常包含有反社會的意味在裡面。正常家庭出身的大專學生，一方面尚保持他的家庭生活的體驗，再加上由求知而來的體驗，及由團體生活而來的體驗，這都是含有重大社會意義的體驗。所以港臺兩地，對國家，對政治社會等問題，由大專學生所發出的判斷，所表現的理性、良心，常遠在大專教授之上，就是這種原因。』

——一九七二／七／五，〈人民及大專學生判斷能力問題〉，《華僑日報》

肆、教育

肆之一、論教育

論教育之一

『就求學時的當下精神來說，一定是為學問而學問，為知識而知識。

『但就求學的根本動機，及求學的整個歸結來說，則一定是為了對時代負責，對國家、民族，乃至整個人類來負責。

『凡是可以成為知識的東西，都有學問上的價值；但其中與時代問題密切相關的，必然要擺在求知的第一位，而集注以最優秀的心靈和力量。』

——一九五八／四／六，〈怎樣當一個大學生〉，《東風》一卷三、四期

論教育之二

『當父母的只要能使自己的子弟受到合理的教育，使其身心有良好的發展，具備完整的人格，則當父母的責任已經盡到。

『有的父母，固然不免按照自己要做的事情，去規定子女的教育方向、但稍有知識的，決不會以權威去強迫執行。因為這不僅當父母的不能完全料到他下一代的需要和環境；而且也不應把自己的希望去代替下一代自己選擇、自己決定的權利。』

——一九五二／五／一，〈「計劃教育」質疑〉，《自由中國》六卷九期

論教育之三

『只要教育是合乎兒童、青年身心的正常發展，以養成他正常的選擇力與擔當力，則此一政府在教育上的責任便算盡到。至於下一代根據他的選擇力與擔當力去做些什麼，這是應由下一代人的環境與意志去決定的。任何有能力的統治者，他不能完全掌握到下一代的環境，他不應徹底干涉到下一代的意志。』

——一九五二／五／一，〈「計劃教育」質疑〉，《自由中國》六卷九期

論教育之四

『就人的一生來説，大學生活，應該是相當於啓蒙運動的階段。啓蒙運動的最大特色，便是理性代替權威來為每個人做主。因此，大學生是理性高於一切、懷疑多於信仰的生活時代。』

——一九五八／四／六，〈怎樣當一個大學生〉，《東風》一卷三、四期

論教育之五

『在歷史中發現人類許多的災難，主要是來自個體與群體得不到均衡；而人類在文化上的許多努力，也主要是指向如何能使個體主義與集體主義之間能互相調劑。

『所以大學生的道德理性實踐，乃是要求個體與群體之間都能處得恰到好處，使大學裡有個性的發揮、有群體的和諧，形成一個人與人之間的和平而合理的社會生活。此種生活，用中國的舊名詞說，即是禮、樂的人生；（禮以別異，所以保障個體；樂以合同，所以協和群體。）用現在的新名詞說，是民主的生活方式。』

——一九五八／四／六，〈怎樣當一個大學生〉，《東風》一卷四、六期

論教育之六

『語文教育，不僅是訓練兒童表達自己意志感情的能力，同時也是訓練、培養兒童之思考能力。

『訓練思考能力，是多方面的；但最基本的除了語意明確以外，便是思考的秩序。

『明確與秩序，有相關的關係，一般人常說「某小孩有點思路」，思想是順著一條路線展開，這即是有了點秩序。秩序的養成，在於訓練兒童作合理的聯想，合理的類推。而這裡之所謂「合理」，主要是指由此一事物到彼一事物，中間有明確的關聯。換言之，即是屬於「同類」的。

『所以，「知類」是訓練兒童思考秩序的最基本條件。把兩件以上的事物排在一起，要使兒童從中導出一個結論，這便是「知類」的訓練。』

——一九六二／九／十二，〈台灣的語文教育問題〉，《徵信新聞》

論教育之七

『小學的「國語」以訓練發音正確的語言，並培養兒童活潑的性靈為主。初中、高中的「國文」則應進而注意訓練兒童、青年的想像力及思考的秩序與表達的條理。大一國文，則主要在使青年能得到起碼地人文的教養。』

——一九六三／九／二十四，〈大學教育中的國文英文問題〉，《徵信新聞報》

肆之二、『師』

『師』之一

『大學和中、小學一樣，教員是為學生而存在，學生並非為教員而存在。凡是教書盡責的人，對學校有講話的資格；凡是教書不盡責，或根本不能教書的人，可以說他沒有講話的資格。』

——一九六一／二／十六，〈搶救中興大學〉（註：原名〈從一個大學校長的角逐看我們的理性良心〉），《聯合報》

『師』之二

『「好為人師」，是對自己成就的陶醉，同時係對他人想作精神上的凌越。』

——一九七二／九／二十八，〈呂氏春秋中的「師道」〉，《華僑日報》

『師』之三

『熊先生（註：熊十力）對人的態度，不僅他自己無一毫人情世故；並且以他自己人格的全力量，直接薄迫於對方，使對方的人情世故，亦皆被剝落的乾乾淨淨，不能不以自己的人格與熊先生的人格，直接照面，因而得到激昂感奮，開啓出生命的新機。所以許多負大名的名士、學者，並沒有真正的學生，而熊先生到有真正的學生，其原因在此。』

——一九六八／七／十一，〈悼念熊十力先生〉，《華僑日報》

『師』之四

『呂氏春秋卷四的勸學、尊師、誣徒三篇，都是以「師」為中心而立說的。

『對師的條件卻有明顯的規定；他們說，「故為師之道，在於勝理，在於行義。理勝義立，則位尊矣」。

『「勝理」，是通達天下之理而加以擔當的意思，這是知識上的成就。

『「行義」，是實行應當做的事情；從尊師篇「義之大者莫大於利人」的話看，即是努力於多數人的利益的事，這是人格上的證明。

『由此可以了解，尊師乃是尊敬由師所代表的知識與人格，而決非尊敬師的空洞頭銜。

『「誣徒」，是利用師的名義去誑誣學徒，呂氏春秋的作者，認為這是最可恥的行為，特引以為大戒。

『他們提出了師生合理的關係是「師徒同體」。

『要如此，便須在教學上，能「使弟子安焉樂焉，休焉游焉，肅焉嚴焉」，如此，則弟子願與師相親而樂於所學。』

——一九七二／九／二十八，〈呂氏春秋中的「師道」〉，《華僑日報》

肆之三、看教育

看教育之一

『今日台灣的學術文化界，因十年來的精神怠工，以致全憑人情世故來處理學術文化上的問題。憑人情世故處理問題，結果必然地以「勢利」來處理問題。有勢利者之所是，隨而是之；有勢利者之所非，隨而非之。

『這便使少數有學術良心的人，不能不以黃老之術自全自保。

『而凡是有勢利者，幾無不是肆無忌憚地，「憑想當然耳」講話；這一趨向，才是今日台灣學術文化的毒癌。』

——一九六三／九／二十四，〈大學教育中的國文英文問題〉，《民主評論》

看教育之二

『受了高等教育而不肯走向社會、無能走向社會，這是教育本身的失敗。』

『政府應該針對這一點去用心、去下力，使學校培養出來的都是有人格獨立尊嚴、有社會職業觀念的青年。』

——一九五二／五／一，〈「計劃教育」質疑〉，《自由中國》六卷九期

看教育之三

『目前大學教育，概括言之，正面對著兩大難題。一是如何調整學問的分化與學問的統合的問題。二是如何調和社會需要與高深研究的教育基礎的問題。』

——一九六二／八／四，〈今日大學紀問題〉，《華僑日報》

看教育之四

『例如教育部長黃季陸先生，他年來正大力把台灣的大專教育，驅向聰明之途，讓最缺乏師資、設備的學校，收最多的學生；因為他由此而可以廣結善緣，出賣任何人也做不到的人情世故。』

——一九六三／十／一，〈聰明、智識、思想〉，《民主評論》十四卷二十一期

看教育之五

『我和一位對西方文學很有研究的先生（註：黎烈文先生），談到這類的問題，他感慨地說：「沒有那一國的大學文學課程不是教古典的。也沒有那一國的大學文學系是文藝創作訓練班。但今日在臺灣，對這些問題不能開口，一開口，便有不三不四的人，和你糾纏到死。」』

——一九六四／十／五，〈由一個國文試題的爭論所引起的文化上的問題〉，《徵信新聞》

看教育之六

『史學界今後應留心研究亞洲各國史，這是沒有疑問的。現時日本的史學界，正以把「支那學」擴大為「東方學」自豪。這不是能收功於旦夕的事。

『亞洲許多民族的歷史，常只能通過中國文獻才能找出點線索；可以說，沒有「支那學」，便很難成立「東方學」。

『經過專門研究的結論，才能編入於教科書之中。假定連大學的史學教授，甚至整個的史學系、史學界，還不曾開始這種研究，而即希望通過教科書去要中學生有這種歷史知識，未免「見卵而求時夜，見彈而求鴞炙」了。』

——一九六二／九／一，〈有關歷史教育的一封信〉，《新天地》一卷七期

看教育之七

『大學文學院的課程，多半是為了奠定繼續作高深研究的基礎而設計的。但大學畢業之後，只有極少數學生進研究所；絕大多數的學生，是向社會求業。

『中文系畢業的學生，懂得了聲韻學，但不懂得辦公文；英文系畢業的學生，懂得了莎士比亞，但不懂得英語會話乃至商業文件，這對就業而言，可以說是一種諷刺。』

——一九六二／八／四，〈今日大學教育問題〉，《華僑日報》

看教育之八

『中央研究院應成立中國思想史研究所，以蘇醒中國文化的靈魂。使孔、孟、程、朱、陸、王、能與「北京人」、「上頂洞人」，同樣地在自己國家的最高學術機構中，分佔一席之地。』

——一九六八／七，〈寫給中央研究院王院長世杰先的一封公開信〉，《陽明雜誌》三十一期

看教育之九

『「讀書應順著個人的興趣去發展」的原則，我認為不應當應用到大學生的必修課程上面。一個人的興趣，不僅須要培養，並且須要發現。

『凡在功課上，過早限定了自己興趣的學生，不是局量狹小，便是心氣粗浮，當然會影響到將來的成就。

『認真讀書的大學生，對大學的必修課程都應認真的學習。並且課外閱讀，也應當以各課程為基點而輻射出去。』

——一九五九／一，〈應該如何讀書？〉，《東風》一卷六期

看教育之十

『根據我多年來的觀察，凡是惰性而又加上破壞性的口號，最容易受到青年的歡迎。因為是惰性的，可以不要聽的人費氣力；因為是破壞性的，又可以使聽者覺得我所不必費氣力的，都是無價值的。這便可以惰性得心安理得，並且可以滿足青年人自滿、自大的心理。』

——一九五九／三／二，〈今日中國文化上的危機〉，《東風》

看教育之十一

『我更願意藉此機會勸告現代的青年，不要以作一個中國人為可恥，不要以研究中國文化為可恥。文化是歷史的積累；一個人的精神狀態，能接受自己祖先文化的遺產，一定也能接受世界文化的遺產。對於祖先文化遺產的變態心理，不會面對世界文化而能立即恢復正常。

『要知道，在祖國裡沒有我們的立足地，便在世界任何地方，也沒有我們的立足地。』

——一九五七／九／五、二十，〈考據與義理之爭的插曲〉，《民主評論》八卷十七、十八期

看教育之十二

『現時中學的中國文化基本教材，在教材選擇方面，把許多可作明確解釋，並有現代意義的不選，卻偏偏選擇些難作明確解釋，及沒有現代意義，或不易為兒童青年所了解的東西在裡面。』

——一九六六／十二／一，〈成立中國文化復興節感言〉，《新天地》五卷十期

看教育之十三

『中國傳統知識分子，缺少事業精神。所謂事業精神者，即在能適應客觀之基本要求而講求實際之辦法，求得實際之效率是也。私立學校，應以企業精神，逐步求取經濟基礎之建立。』

——一九五八／一／一，《徐復觀致唐君毅佚書六十六封》，No. 36

看教育之十四

『吳大猷先生對臺灣確實已提供了兩大貢獻：一是提議規定各大專學校負院、系行政責任的人，應當有一定的任期；三年一任，最多能連任一次。另一是向報界呼籲，不要用太誇張的文字，渲染短期回國的學人，以致引起在臺灣作學術工作者不良的心理反映。』

——一九六八／八／二，〈吳大猷先生段台灣的兩大貢獻〉，《華僑日報》

看教育之十五

『大人先生們！台灣在教育方面有這麼多的人力物力，可否分點出來，作作下面兩件事呢？

『拿一筆錢出來，收集各國小學的教科書、兒童讀物，在三、五個月內作一比較研究，也作為改革現有教科書的參考。

『再是劃出專款，鼓勵作家寫啓發兒童心靈的讀物，合格的除了幫助印行外，並每年送三萬到五萬台幣的文學獎金，這豈不是化無用為有用嗎？

『在目前說，罪莫大於殘害第二代，功也莫大於拯救第二代。』

——一九七四／十一／一，〈按語 〈漫談國校惡性補習〉 沈鼎煊著〉，《民主評論》十二卷一期

國家圖書館出版品預行編目資料

徐復觀教授看世界——時論文摘 四之一卷
自敘 讀書和研究的方法與態度 智識份子 教育

徐武軍、徐元純輯. – 初版. – 臺北市：臺灣學生，2018.04
面；公分

ISBN 978-957-15-1764-3 (平裝)

1. 言論集 2. 時事評論

078　　107004620

徐復觀教授看世界——時論文摘 四之一卷

編輯者　徐武軍、徐元純
出版者　臺灣學生書局有限公司
發行人　楊雲龍
發行所　臺灣學生書局有限公司
地址　臺北市和平東路一段 75 巷 11 號
劃撥帳號　00024668
電話　(02)23928185
傳真　(02)23928105
E-mail　student.book@msa.hinet.net
網址　www.studentbook.com.tw
登記證字號　行政院新聞局局版北市業字第玖捌壹號
定價　新臺幣二〇〇元
出版日期　二〇一八年四月初版
ISBN　978-957-15-1764-3